ドクターエッグ
いきもの入門 ⑧ アリ・チョウ・ガ・ゴキブリ

科学漫画 いきもの観察シリーズ

かがくるBOOK

目次

第1章 小さないきものの世界、アリとゴキブリ

- 第1話 平和なクロヤマアリ王国 ……… 8
- 第2話 おそろしいサムライアリ ……… 18
  - コラム 他のアリを奴隷にするサムライアリ　27
  - いきもの探しゲーム サムライアリを見つけよう！　28
- 第3話 新しいアリの巣 ……… 30
- 第4話 クロヤマアリを守れ！ ……… 40
  - コラム アリの種類　49
  - 生き生き観察レポート アリの観察　50
- 第5話 ゴキオとゴキエ ……… 52
  - コラム 強い生命力を持っているゴキブリ　59
- 第6話 いよいよ結婚飛行の日！ ……… 62
  - 生き生き図鑑 アリの巣を描く　74

第2章 美しいはねで空を舞うチョウ

- 第7話 こんにちは、チョウチョ！ ・・・・・・・・・・・78
  - コラム　チョウはどんないきものでしょうか？　　87
- 第8話 チョウ泥棒に注意！ ・・・・・・・・・・・・・88
  - 名前探しゲーム　チョウの自己紹介書　　98
- 第9話 チョウの一生 ・・・・・・・・・・・・・・・・100
  - チャレンジ！　迷路ガーデンを脱出　　107
  - コラム　チョウの成長　　109
- 第10話 チョウのあしは何本？ ・・・・・・・・・・・110
  - コラム　チョウの体のつくりを調べよう！　　115
  - 間違い探し　僕たちは泥棒じゃない！　　120
- 第11話 ガの襲撃 ・・・・・・・・・・・・・・・・・122
  - コラム　ガについて知りましょう！　　127
- 第12話 イシガケチョウとチョウ泥棒 ・・・・・・・・134
  - ふきだしを埋めよう　エッグ博士の絵日記　　148

- チーム・エッグの制作日記①② ・・・・・・・・150
- 正解 ・・・・・・・・・154

イラストでは、いきものをデフォルメしています。
写真提供：Shutterstock

ヤン博士

推進力★★★★★

- 誕生日　1月1日（やぎ座）
- 血液型　AB型
- 今回のミッション

　①クロヤマアリ飼育ケースの修理

　②アリたちのケンカを止める

　③迷路ガーデンからの脱出

ウン博士

集中力★★★★★

- 誕生日　2月17日（みずがめ座）
- 血液型　A型
- 今回のミッション

　①チョウと写真撮影　②チョウの名前を調べる

　③チョウとガを比較して観察

第1章

小さないきものの世界、アリとゴキブリ

チーム・エッグ事務所の裏庭菜園にやってきた小さないきものたち！
アリとゴキブリの生態を探ってみよう。

平和な
クロヤマアリ王国

＊結婚飛行：ミツバチ、アリなどのオスと、若い女王バチ、女王アリが一緒に飛んで交尾をすること。

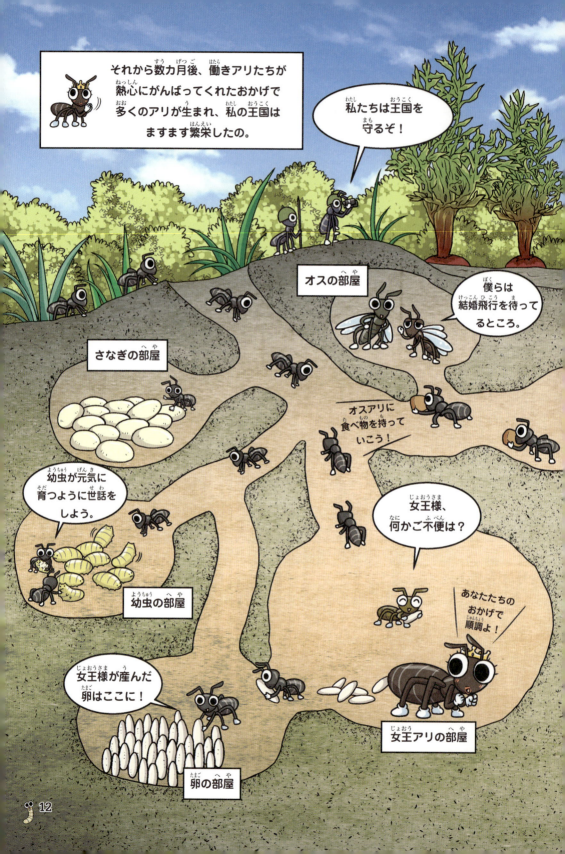

第2話
おそろしい サムライアリ

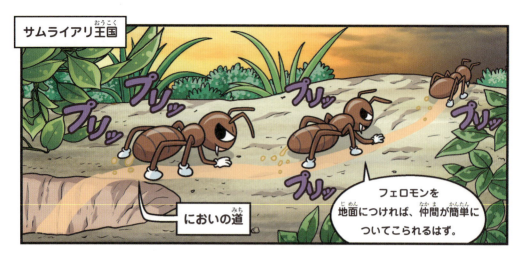

他のアリを奴隷にするサムライアリ

サムライアリは、クロヤマアリなどの巣を襲いさなぎなどを奪ってきて、成虫になった働きアリを奴隷のように働かせます。

> サムライアリの働きアリは奴隷を狩るのが主な仕事だよ。女王アリや卵、幼虫の世話、えさ探しなどはクロヤマアリの働きアリにさせるんだ。

サムライアリの特徴

- **体長** 約4〜6mm。
- **色** 胴体は黒褐色、触角やあしは茶色。
- **見た目の特徴** 大あごは細い鎌のような形をしている。
- **生息地** 朝鮮半島や日本、中国などに生息する。

サムライアリの生活

サムライアリは、クロヤマアリなどの働きアリを奴隷のように働かせます。

サムライアリの女王がクロヤマアリの巣にこっそり入り、クロヤマアリの女王を殺した後、クロヤマアリの巣を占領します。

サムライアリの女王はそこで卵を産み、もともといたクロヤマアリたちを奴隷にします。

時間が経って奴隷がさらに必要になると、他のクロヤマアリの巣を襲撃しておもにまゆ（さなぎ）を奪ってきます。

いきもの探しゲーム

サムライアリを見つけよう！

例

3つの単眼

サムライアリは、おもに蒸し暑い夏にクロヤマアリを攻撃するのだ！

鎌のような大あご

黒褐色の体

サムライアリとクロヤマアリの間で戦が起こりました！左の 例 にあるサムライアリの特徴をよく見て、右の絵からサムライアリ13匹を探してみてね！

正解：154ページ

第3話
新しいアリの巣

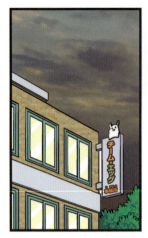

何と……、クロヤマアリたちの願いとは異なり、また別の侵略者が現れたようです。

クロヤマアリを守れ！

アリの観察

アリの観察レポートを自由に書いてみましょう。

クロヤマアリ

体長：約4.5〜6mm
　　　（働きアリの場合）
体の色：黒色や灰色がかった
　　　　黒色
特徴：
・草むらや石の周りに巣をつくる。
・アブラムシから糖分（甘露）をもらう代わりにアブラムシを保護する。
・敵に毒成分のある蟻酸を分泌して攻撃する。

クロヤマアリ観察レポート

観察した場所と日時：
_____

わかったこと：
_____
_____

気になった点：
_____
_____

イエヒメアリ

体長：約2〜2.5mm
　　　（働きアリの場合）
体の色：黄褐色
特徴：
・暖房がよく利く家の中などにすみつく。
・群れを成して、人の食べ物を食べる。
・繁殖力が強い（どんどん増える）。

イエヒメアリ観察レポート

観察した場所と日時：

わかったこと：

気になった点：

第5話
ゴキオと
ゴキエ

☆集中探求☆
ゴキブリは体からフェロモンを分泌し、離れていても仲間を見つけることができます。

強い生命力を持っているゴキブリ

ゴキブリはゴキブリ目に属す昆虫です。ゴキブリは約3億年前に出現し、生きた化石といわれます。寒さに弱い昆虫ですが、今は冬でも暖房がよく利いているので、北海道でも見られます。

ゴキブリの特徴

見た目
体は平たく、光沢のあるものが多い。長いあしには突起がある。

生息地
湿気が多く暖かくて暗い場所を好む。家のキッチンやダイニング、下水道などに生息している。

ワモンゴキブリ

えさ
何でもよく食べる雑食性で、人間の食べ物の多くはゴキブリの好物。

習性
昼間は暗い場所にかくれていて、夜になると活動する。

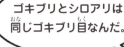
ゴキブリとシロアリは同じゴキブリ目なんだ。

そういえば少し似ているような気が？

日本に生息するゴキブリ

日本の家の中で見かけるゴキブリには、次のようなものがいます。

ワモンゴキブリ

クロゴキブリ

ヤマトゴキブリ

チャバネゴキブリ

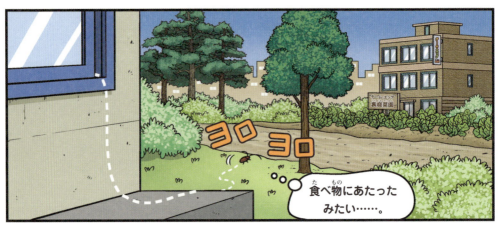

メスのゴキブリと卵鞘

メスのゴキブリは、中に卵の入った卵鞘というカプセルを腹の先につけています。卵が孵化する（かえる）前に天敵に襲われるなどの危険が迫ると、卵鞘を体から落とすことがあります。ゴキブリの種によっては、幼虫が死んだゴキブリを食べて育つこともあるそうです。

ゴキブリの卵鞘

孵化したばかりのゴキブリの幼虫

アリの巣を描く

例の絵

オスアリの部屋

ゴミの部屋

まゆの部屋

食べ物倉庫

新女王になるアリの部屋

女王アリの部屋

幼虫の部屋

卵の部屋

左の 例の絵 から、アリの巣にどんな部屋があるのかがわかります。
下の空いた巣に絵を描いて自分だけのアリ王国を完成させましょう。

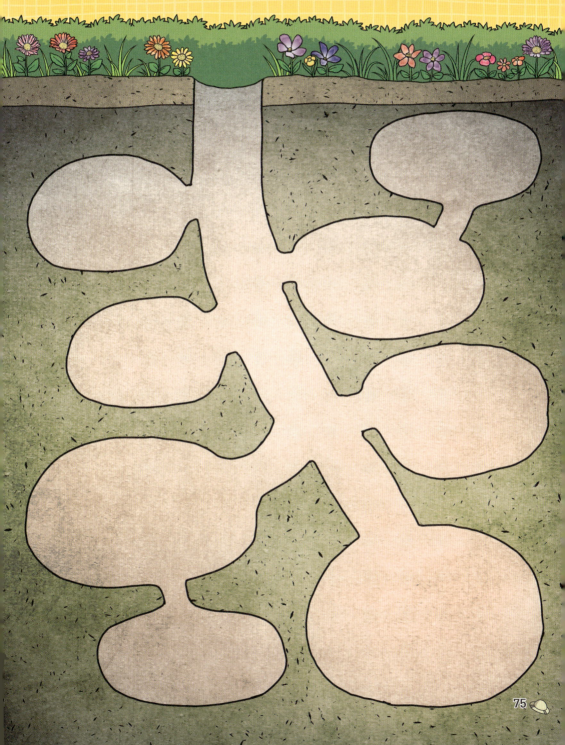

第2章

美しいはねで空を舞うチョウ

きれいなチョウ1匹がエッグ博士の前に現れました。
空をフワリと飛ぶチョウのひみつを一緒に探ってみましょう。

第7話
こんにちは、チョウチョ！

チョウの飛び方

チョウは1秒あたり10回ほど羽ばたきます。チョウは羽ばたく際に生まれる「揚力」を利用して飛ぶことができます。揚力は、運動する物体の進行方向に対して直角にはたらく力で、空気の圧力が高いところから低いところに向かってはたらきます。

❷両方のはねを打ち下ろします。このとき、はねの上ははねの下に比べて圧力が低くなり、圧力が高いはねの下から上に揚力が作用します。

❶両方のはねを引き上げます。

❸❶と❷をくり返します。はねを上下に羽ばたくことで揚力が発生し続けます。

チョウはどんないきものでしょうか？

チョウはチョウ目に属する昆虫で、世界中に約2万種が生息しています。特に熱帯雨林地域のような暑い場所でよく見られます。日本には約250種のチョウが生息しているといわれています。

日本にもいろんなチョウが生息してるんだね。

チョウの特徴

- 頭部（あたま）、胸部（むね）、腹部（はら）に分かれています。
- 頭部には触角と複眼、口があります。
- 胸部にははねが2対と、あしが3対ついています。
- 成虫の多くは花の蜜を吸います。
- 主に昼間に活動します。
- はねには鱗粉という粉がついています。

チョウのはねと鱗粉

チョウのはねは形や色、模様がとても多様です。はねで種を分けたり、オスとメスを区別したりすることもできます。チョウのはねには粉がたくさんついていて、この粉を「鱗粉」といいます。チョウの種によっては鱗粉に光が反射して美しい色をつくり出します。また、鱗粉には水をはじくはたらきもあり、チョウのはねが濡れないようにしています。

顕微鏡で見たチョウのさまざまな鱗粉

郵便はがき

ここに切手を貼ってね！

朝日新聞出版　生活・文化編集部
「サバイバル」「対決」
「タイムワープ」シリーズ　係

☆愛読者カード☆シリーズをもっとおもしろくするために、みんなの感想を送ってね。
　毎月、抽選で10名のみんなに、サバイバル特製グッズをあげるよ。

☆ファンクラブ通信への投稿☆このハガキで、ファンクラブ通信のコーナーにも投稿できるよ！
　たくさんのコーナーがあるから、いっぱい応募してね。

ファンクラブ通信は、公式サイトでも読めるよ！　サバイバルシリーズ　検索

お名前		ペンネーム	※本名でも可	
ご住所	〒			
電話番号		シリーズを何冊もってる？		冊
メールアドレス				
学年	年	年齢　　才	性別	
コーナー名	※ファンクラブ通信への投稿の場合			

※ご提供いただいた情報は、個人情報を含まない統計的な資料の作成等に使用いたします。その他の利用について
　詳しくは、当社ホームページ https://publications.asahi.com/company/privacy/ をご覧下さい。

☆本の感想、ファンクラブ通信への投稿など、好きなことを書いてね！

ご感想を広告、書籍のPRに使用させていただいてもよろしいでしょうか？
　　1. 実名で可　　　2. 匿名で可　　　3. 不可

名前探しゲーム チョウの自己紹介書

ヒメチャマダラセセリ

私たちはセセリチョウ上科に属する小型のチョウだよ。濃い色のはねに小さな白い斑点が不規則に並んでいるのが特徴なんだ。日本では北海道の限られた地域だけにいるよ。

ムラサキシジミ
私たちは紫色のはねを持っているんだ。はねを広げると30〜40mmほどになるよ。山地や畑の周りなどのほか、都会の公園でも見つかるよ。

モンシロチョウ
私たちのはねは白くて、黒い斑点があるよ。幼虫のときは、キャベツやハクサイなどの植物をかじって食べるんだ。広い野原や低い山地にすんでいるよ。

博覧会のチョウたちが自己紹介しているよ。
名前と写真を正しくつないでみましょう。

クジャクチョウ

私たちのはねにはクジャクのはねに見られる、大きな目の形の模様があるんだ。この模様で天敵を脅して自分を守ることができるんだ。

オナガアゲハ

私たちは、名前のように長い尾の形をしたはねを持っているんだ。はねは全体的に黒くて、メスでは部分的に赤色の模様が混ざってるよ。

ナミアゲハ（アゲハ）

私たちはうす黄色の地に黒い縞模様のあるはねを持っているんだ。主に、日本や韓国、中国などにすんでいるよ。

正解：154ページ

第9話
チョウの一生

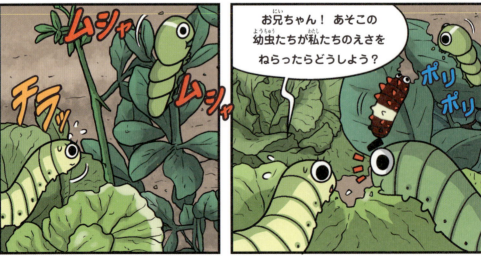

☆集中探求☆
チョウの幼虫の食べ物となる植物を「寄主植物」（食草）といいます。チョウの種によって寄主植物は異なります。

101

チョウの成長

チョウは卵、幼虫、さなぎ、成虫の段階を経て成長します。
さなぎのとき、種によって冬眠をするものもいます。

チョウの幼虫はふつう4回くらい脱皮するんだ。

モンシロチョウの一生

卵
ハクサイやキャベツなどの葉に卵を産みます。

1齢の幼虫
3〜5日後、卵から黄色い幼虫が出てきます。

2〜4齢の幼虫
脱皮をして体の色が緑色に変わります。

成虫
さなぎのからから出てはねを伸ばし、成虫になります。

さなぎ
木の葉の裏などにくっついてさなぎになります。

チョウの身の守り方

メムノンフクロウチョウ
中南米に分布するチョウ。はねに、フクロウの目そっくりの模様がある。

チョウは成虫になるまで、さまざまな方法で天敵から身を守ります。幼虫のころは鳥のふんに見せかけたり、目玉の模様で天敵を威嚇したりします。さなぎのころにはぶら下がっている木の葉や木の枝にまぎれます。成虫になるとはねの模様を利用して天敵を威嚇するものもいます。

第10話

チョウのあしは何本？

チョウの体のつくりを調べよう！

チョウの体は大きく頭部、胸部、腹部の3つの部分に分かれます。
写真を見ながら、チョウの体のつくりについて見ていきましょう。

目
1対の複眼を持っている。複眼には個眼という小さな目がたくさん集まっている。

はね
うすい膜と翅脈というすじと鱗粉がある。翅脈にははねを支えたり、はねが集めた熱を体に伝えるなどの役割がある。

触角
においを感じたり、体のバランスを取るなどの役割をする。

口
ふだんは丸めている。花の蜜を吸うときは、口をストローのようにまっすぐに伸ばして吸う。

気門
胸部と腹部には気門という穴があってここから酸素を取り込む。

あし
3対のあしがあり、先にはとがった爪がついている。

僕もチョウのように、チューッて吸ってみようかな？

チューッ

エッグ博士と一緒にチョウの標本づくり

準備するもの：ピンセット、展翅板、昆虫針、展翅テープ、標本にするチョウ

❶ 標本用のチョウの体に昆虫針を刺します。

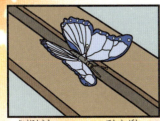

❷ 標本用のチョウを展翅板に固定します。

❸ 片方のはねの上に展翅テープをのせて、昆虫針で固定します。

❹ もう一方のはねも同じ方法で固定します。

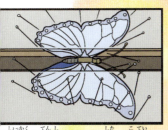

❺ 触角も展翅テープの下に固定します。

❻ 1カ月ほど乾燥させたら標本が完成です。

☆注意☆
完成した標本は湿気を吸わないよう密閉した箱に入れて保管してください。

僕たちは泥棒じゃない！

博士たちがチョウの標本を盗んだ泥棒だと誤解されています！
２つの絵を見比べて、違うところを10個見つけてみましょう。

正解：155ページ

そこにはメスとオスではねの色や模様が異なる「ナガサキアゲハ」、胸の一部が赤いえりのように見える「アカエリトリバネアゲハ」、美しいはねに毒を持つ「ツマベニチョウ」、長い尾のようなはねが美しい「アオスソビキアゲハ」とか、独特の特徴をもつ友だちが多かったんだ。

メス
オス
ナガサキアゲハ

アカエリトリバネアゲハ

ツマベニチョウ

アオスソビキアゲハ

ウワ〜！ 不思議だ！

おぼろげ

ガについて知りましょう！

ガはチョウ目に属する昆虫のうち、チョウ（アゲハチョウ上科、セセリチョウ上科、シャクガモドキ上科）を除くものの呼び名です。日本には約5000種のガがいるといわれています。チョウと似ていながらも特徴や習性が異なる、ガについて詳しく見てみましょう。

ガの特徴

（これにあてはまらないガもいます）
- おもに夜に活動し、昼間は木の幹や岩の隙間などにひそんでいます。
- はねを広げてとまります。
- 触角の形は、くし状、糸状など。
- 嗅覚が発達しています。
- 花の蜜、木の樹液などを吸って生きています。

夜行性のガと昼行性のガ

ガはおもに夜に活動しますが、昼に活動するガもいます。夜に活動するガを夜行性のガ、昼間に活動するガを昼行性のガといいます。

ツゲノメイガ

夜行性のガ
街灯の下のような明るい光のある場所に集まってきます。幼虫はツゲ属の植物の葉を食べます。

ウラニアツバメガ

昼行性のガ
南アメリカにすむガで、チョウのように、昼間に飛び回ります。美しいはねも飛ぶ姿もアゲハチョウのようです。

＊イシガケチョウ：アジアの暖かい地方、日本では本州南部以南にいます。

第12話
イシガケチョウとチョウ泥棒

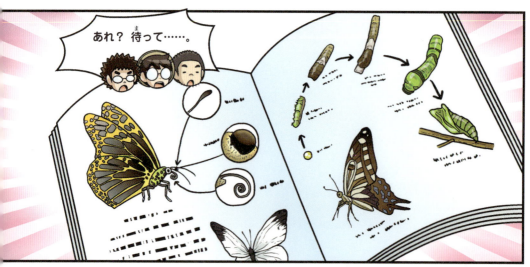

エッグ博士の絵日記

クロヤマアリを採集していた日

クロヤマアリの王国を撮影するため裏庭菜園に行った日、クロヤマアリの巣の前で、クロヤマアリとサムライアリが戦う場面に出会った。

ちょうど逃げていたクロヤマアリの女王とその群れを目にし、安全な場所に移動させてあげた。アリの群れが急に散ったせいで苦労したものの、とにかく採集に成功！

エッグ博士が書いた絵日記を見て、空っぽのふきだしに合うセリフを書いてみよう。

チョウ泥棒のボランティア活動を手伝った日

チョウ泥棒がチョウ生態館でボランティア活動をしていた日、僕たち3人も集まって生態館を掃除し、観察体験場に行って幼虫たちの寄主植物の植え替えを手伝ってあげた。

すべて終えてうれしい気持ちで家に帰ろうとした瞬間！チョウのカチューシャをつくって人々に配ると言って、材料をいっぱい持ってきたチョウ泥棒にまた捕まってしまった。

解答の例：155ページ

チーム・エッグの制作日記①

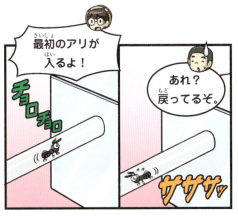

チーム・エッグの制作日記②

クイズの答えを確認する番だよ。正解を確認してみてね。

28〜29ページ

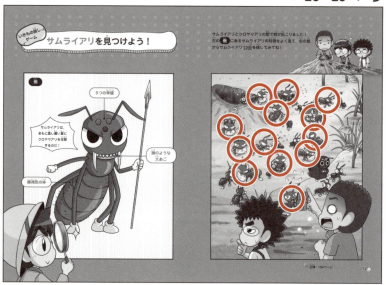

98〜99ページ

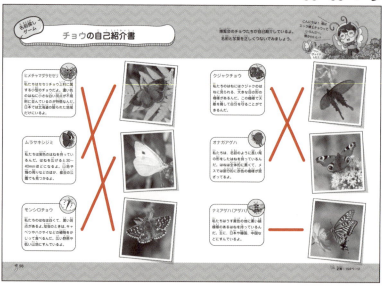

120〜121ページ

148〜149ページ

에그 박사 9

Text Copyright © 2023 by Mirae N Co., Ltd. (I-seum)
Illustrations Copyright © 2023 by Hong Jong-Hyun
Contents Copyright © 2023 by The Egg
Japanese translation Copyright © 2024 Asahi Shimbun Publications Inc.
All rights reserved.
Original Korean edition was published by Mirae N Co., Ltd.(I-seum)
Japanese translation rights was arranged with Mirae N Co., Ltd.(I-seum) through VELDUP CO.,LTD.

ドクターエッグ8　アリ・チョウ・ガ・ゴキブリ

2024年4月30日　第1刷発行

著　者　文　パク・ソンイ／絵　洪鐘賢(ホンジョンヒョン)
発行者　片桐圭子
発行所　朝日新聞出版
　　　　〒104-8011
　　　　東京都中央区築地5-3-2
　　　　編集　生活・文化編集部
　　　　電話　03-5541-8833（編集）
　　　　　　　03-5540-7793（販売）

印刷所　株式会社リーブルテック
ISBN978-4-02-332331-5
定価はカバーに表示してあります

落丁・乱丁の場合は弊社業務部（03-5540-7800）へ
ご連絡ください。送料弊社負担にてお取り替えいたします。

Translation：Han Heungcheol / Kim Haekyong
Japanese Edition Producer：Satoshi Ikeda
Special Thanks：Kim Suzy / Lee Ah-Ram
　　　　　　　　（Mirae N Co.,Ltd.）